寄生獸

기생수

제34화 ——— 3 강철과 유리

제35화 ——— 43 이름

제36화 ——— 79 악마의 얼굴

제37화 ——— 111 식당

제38화 ——— 145 적대

제39화 ——— 183 자객

제40화 ——— 219 사령탑

제41화 ——— 253 완전체

5

contents 애장판

...안 돼.
죽이면 안 돼!

저놈은
살려둬선
안 돼!

우리가 어떻게 될지
모른단 말이야,
서둘러!

기이이이

이 이 이 이 응

!!

훅

쳐 얷

이, 이게….

질질

더욱이 우리의
안전을 위해서라면
망설일 게 없어!

그런데 이제 와서
한 사람쯤
어떻다는 거야!

지금까지 네 주위에서는
많은 사람이 죽었고,
너도 그걸 봐 왔어.

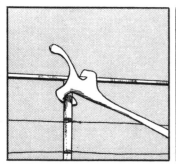

그것만은….

안 된다면
안 돼!

……,

끼끼긱

……,

쯔윽

...피곤하군.

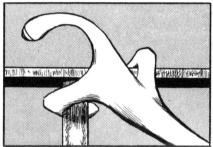

사람을 죽이는 건
안 돼···.
어떤 이유에서건···.

...벌써
도망쳤어.

「어떻게 할래, 신이치...?
문제는 그 남자가 너 하나만을 노리고
접근한 듯하다는 점이다.
그놈은 우리를 잘 알고 있을지도 몰라.
하지만 우리는 그놈에 대해 전혀 모른다.
이게 무엇을 의미하는지 알겠어?」

늦었구나.

다녀왔습니다….

아무 일
없었어요
….

아버지…

아뇨….

무슨 일이
있었니?

하지만… 이런 걸
아버지한테 털어놓을
수도 없어.
오른쪽이의 무서움을
새삼 깨달은
마당이니….

이제 어떻게
될까요….

아까는…
오랜만에 본
오른쪽이의 냉혹함에
압도되어 실감이
안 났지만,

나는…
엄청난 위험에
처해 있어요.

오른쪽아….

그 상황에서
어떻게 했건
너는….

그래도
할 수 없었잖아.

안녕~

과연 어떻게
될까….

우리는 틀림없이
모르모트가
될 거야.

아니, 그보다
경찰 등 공공기관에
소속된 자라면
치명적이다.

만약 그 남자가
매스컴
관계자라면
어쩔 거지?

신이치….

모르모트….

흥!

……

너도 사람을
잡아먹었지!!

이 괴물아!!

하나도
안 들었나?

…다음을
읽으라니까!

신이치!
이봐,
신이치!

!

공부하기 싫거든
당장 집에 가!

「예」라니…

예…

두적

H

예…

정말
가 버렸네?

무장경찰이 집으로 들이닥치지도 않았고, 신문이나 텔레비전에도 무엇 하나….

하지만 2~3일 동안은 아무 일도 일어나지 않았어.

오른쪽아, 생각이 너무 지나친 것 아닐까?

뭐야? 자고 있잖아.

카메라도 우연히 가지고 있었던 게 아닐까?

그냥 지나가던 사람이었고,

지금
이 순간에도
….

!

뭣보다,
정말 나 하나만을
조사하는 거라면
24시간 감시하고
있어야 할 것 아냐?

설마!

5감에 정신을
집중하자….

……

「멍멍」

「엄마,
―이쪽이야.」

「네에.」

「기다려,
얘.」

「이어서
교통정보입니다.
경찰정에
나가 계시는….」

「헉헉 헉헉.」

「괴…
괴물이야!!」

「후…
후우―.」

자,
잠깐만요!!

자고 있어!

따라잡을 수
있어!

기다려!
이야기를!
내 얘기를…!

괴물이다!!

사,
사람 살려!

정신병자
아냐?

괴물이래.

저 아저씨,
뭐냐?

기다려…!!

정말이다!
아직도
감시하고 있어!

나를 조사하고
있는 거야!

「우리는 틀림없이
모르모트가 될 거야.」

큰일이다!
이제 난…!!

으으….

우리 정체를
인간에게 들키건,
「동족」에게 들키건
무사할 수 없어!

아니…
그러기 전에
기생생물
「동족」에게
죽을지도 몰라.

자는
사이에…

이놈이 자는 사이에
떼어내 버리면
끝나는 거야!

생각해 보면
바로 네가
모든 일의
원인이라구!
안 그래?

제기랄! 이대로 있으면 끝장인데!

…아냐.

덜 그럭

ENT

왜… 내가 왜 이런 일을 당해야 하지…?

젠장!!

너무해… 나만 이런….

침착해….

아냐. 침착하자!

…….

마음은 왠지 금세 가라앉는다….
내 마음은 그렇게 되어 있으니까.

후一.

그래…
이 틈에 그애를 만나야지.

신이치…

……

깜짝 놀랐어…. 무슨 일이니? 갑자기 불러내고….

사실은 지금 말해 두고 싶은 게 있어서.

응…?

무슨… 넌 어떻구.

요즘 나한테 좀 서먹한 것 같아서…. 왜 그런가 하고.

......

그러니까 왠지…

앞으로 다시 못 만날 사람들 같아…

아… 응.

나부터 얘기해도 돼?

그래! 하고 싶은 말을 너무 참으면 병이 되니까!

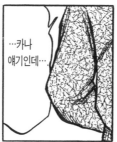

…카나 얘기인데…

그냥 말할게…

저기, 신경 쓰지 않으려 했지만 아무래도 마음에 걸리는 게 있는데….

…하지만 만나지 못한 채, 카나는 죽었고….

그날 나하고 한 약속을 깨고 카나를 만나려 했지?

신이치가 불렀는지, 카나가 불렀는지 몰라도 어떤 일 때문이었는지 궁금해서….

심각하게…

갑자기…

나랑 극장에 가는 것 보다는….

그렇잖아…. 중요한 일이었을 것 아냐? 적어도…

신이치한테 아무 말 말고 넘어가야지 했지만 마음에 걸려 견딜 수가 있어야지?

무슨 말이든
하면 되잖아!!

말해!!

왠지…
할 말이 많았던 것
같은데 아무 말도
할 수가 없네.

넌 너대로
고민하고 있었지?
그동안 있었던
큰 사건들과는
또 다른 일로….

…카나 일만이
아냐.

전부 다
말해 버리면
되잖아!

난 알아!

아니야….

그런…
그런 게
아니야.

사람이 죽는다…
그 정도 일로는
크게 놀라지도 않게
된 것 아냐?

그 고민이
너무 커서…

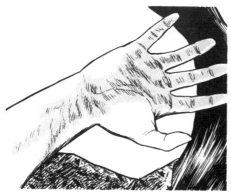

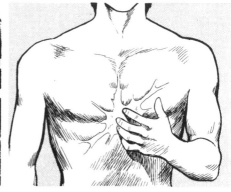

무슨 일이 있었니?
신이치 너한테….

뭔가…
필사적으로 힘을
짜내고 있는 것
같아.

안타까워서
못 보겠다
싶을 때가
가끔 있어.

신이치는 무척 강해….
정말 강해.
그런데도…

......

그렇게 혼자서
고민하지
말고
…얘기해 봐.

너….

사토미….

없어!
나한텐 아무 일도
없었으니까!

왜 이러는지
….

아~아.

세상에나!

그래…?

그렇게 말하지
말아 줘….

그….

생명의 은인께서
하시는 말씀에
일일이 토를
다는 건 실례일지
몰라도…

이대로는
이제 만나도
마음 놓고 얘기하긴
힘들 것 같아.

아무리
「아무것도 아냐」,
「아무 일 없어」라고
해 봐야 못 믿겠어.

그러지 마….
너까지 그렇게
말하면 나는….

말할 테니까!

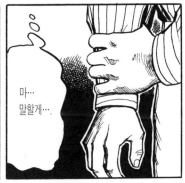

마…
말할게….

내 몸에는!!

사토미…!
내 몸엔!

정말
아무 일도
없어.

너야말로 나를 믿어 주지 않잖아.

나를 못 믿는구나.

어쩐지 메말라 있어.

신이치의 눈은…

이제 됐어….
될 대로 되라지.

흥!

신이치,
좀 전에 정말
무슨 일이
일어나는 줄
알았어.

그래…
오늘
낮에도….

그 작자?

그 작자가 또 기웃거리다
이번엔 그애까지 싸잡아
괴물 취급할지도
모르니까.

하지만…
이제 됐어.

네가 알면!

어차피 또 죽이려
들 거잖아!

왜 진작
말하지 않았어!

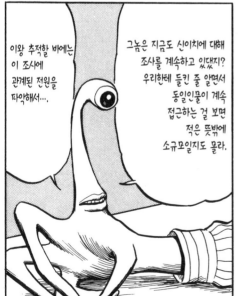

이왕 추적할 바에는
이 조사에
관계된 전원을
따악해서….

그놈은 지금도 신이치에 대해
조사를 계속하고 있댔지?
우리한테 들킨 줄 알면서
동일인물이 계속
접근하는 걸 보면
적은 뜻밖에
소규모일지도 몰라.

생각을
좀 바꿨다.

……

뭐?

인간을 죽이는 데에 네가 얼마나 거부반응을 보이는지 새삼 알았다는 거다. 우리는 상호협력하지 않으면 안 돼.

그런 말은 안 했어.

싸그리 없애자고? 그거 괜찮네.

거꾸로 그놈을 찾는 거다. 아직 이 근처를 서성거리고 있을 가능성이 높으니까.

그러니까 「죽인다」는 것은 일단 접어두고,

말을 잘한다.

그것도 이런 위험한 일에 말려들게 해서…

죄송합니다. 번거롭게…

쳇. 이 세상에 내편이 어디 있다고….

「네편」을 불러서 협력해 달래야지.

어떻게?

우다 아저씨…
지난번에도
절 도와
주셨는데,
또…

서로 돕고
살아야지!

무슨 소리!
우린 이 지구상에
둘도 없는,
같은 배를 탄
동지 아냐!

그래, 임마.
내가 얼마나
귀찮은지
알기나 하냐?

저기… 이건
내가 한 말이
아냐.

네…

제34화 —끝—

「아무튼 굉장하다. 2월호 〈기생수〉를 읽었더니 갑자기 인간의 미래에 관해 누군가와 이야기하고 싶어져서 한밤중에 친구를 찾아갔다.」 (사이타마. BE사쿠BOY. 28세 회사원)

「한눈에 잡지 〈애프터눈〉이라는 걸 알아볼 수 있는 강렬한 표지였다.
무심코 손을 뻗고 말았다.」 (야마가타. 펑키 다카야마. 29세 회사원)

단행본과 달리 여러 작품들이 모인 잡지 표지이므로 그리는 괴물에도 다소 신경을 썼습니다.
예를 들어 너무 피투성이면 책방에서 싫어하지 않을까, 등···.
무서우면서도 유머감각이 있는 괴물을 그렸다는 생각인데, 어땠는지요?」 (이와아키 히토시)

(애프터눈 '91년 3월호에서)

「기생생물의 유충이 패러사이트 인간에 기생하면 어떻게 될까요?
그 기생생물은 패러사이트만 먹게 될까요? 머리가 혼란스럽군요.」
(카나가와. 힘내라! 사와자키. 34세 회사원)

「패러사이트만 먹는 패러사이트에 또 패러사이트가 기생하면··· 하는 공상에 빠지다 보면
뭔가 수학문제 풀이 같아서 작가도 궁금해서 잠이 안 옵니다.」

(애프터눈 '92년 2월호에서)

기생수 5
Kodansha Afternoon KCDX

「'오른쪽이'가 왼손에 기생했다면 '왼쪽이'라고 불렀을까요?」(사이타마. 미다리. 18세)
「당연히 '왼쪽이'가 됐겠죠. 하지만 '왼쪽이'라는 이름은 왠지 속도감이 없는 늙은 아저씨 같은
느낌이라서 어울리지 않습니다. 그리고 보면 에베레스트에 처음 등정했던 사람의 이름이
히다리(왼쪽) 아니었던가요? 힐러리였나?」(이와아키 히토시)

(애프터눈 '92년 9월호에서)

「신이치가 앞으로 하려는 일은 과연 '정의'일까요?」(벳부. 케이터햄 7. 18세 학생)
「몇몇 사람을 구하는 것도 하나의 '정의'라고 생각합니다.
다만 모든 존재에게 공통되는 '정의'란 없다는 게 제 생각이고, 게다가 신이치는 다른 생물과
언제나 대화하며 함께 생활하므로 인간이 당연하게 여기는 것들과는 약간 어긋나 있을지도 모르죠.」
(이와아키 히토시)

(애프터눈 '93년 1월호에서)

하지만 배후에 뭔가 짚이는 건 없니?

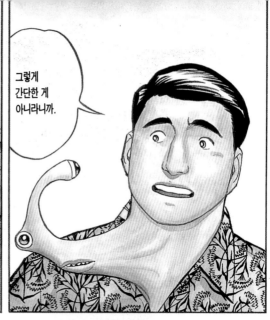

그렇게 간단한 게 아니라니까.

조직적인 행동이 아니란 걸 알게 되니 왠지….

사실은 어쩐지….

이렇게 생겼어.

내가 기억하고 있다.

우악!

아무튼 그 남자를 죽이건 사로잡건 어떻게 생겨먹었는진 알아야지?

으읍

좋아...
기억했다.

으흭!!

아 참,
그렇지.

아… 난
역앞 비즈니스
호텔에 묵고 있어.

아, 예….

「죠」(턱)라고 부르기로 했어.

딱 맞지?

이놈 이름 있잖아, 「패러사이트」라는 건 TV나 잡지 같은 데에 많이 나와서 헷갈리니까…

흥, 이름 같은 건 어떻든 상관없어.

네에…. 정말 그렇군요.

그래…. 이름 같은 건 아무래도 좋아.

······.

병원에
가 보는 게
어때요?

많이 피곤했나
보군요.

…그런 뜻이
아니라….

병원에는
갔습니다.
보세요.

주우욱~ 하고
늘어났다니까요!

물론
못 믿으시겠지만!
오른손이 이렇게…

빌
떡

게다가 이렇게
다치기까지 했다
이겁니다!
이걸 좀 보세요.

진정하세요.

그랬더니
사색이 돼서
쫓아오는 겁니다!

…하지만 나를 납득시킬
답을 낼 수가 없었습니다…
그래서 며칠 후에
다시 살펴보러
갔죠.

그게 뭐였는지.

…이래뵈도 많이
침착해진 겁니다.
그날 이후로
많이 생각해 봤죠.

그만
두라니….

이제 그만
두시죠.

지금까지의
비용은
지불할 테니,

그게 뭔지
제대로 알지도
못하고….

저는!
제 기분은
어쩌란
말입니까?

이렇게
떨떠름한
상태로!

뭐라고요!
그만둬요?!

음….

?

…에….

이런 얘기를
믿으라는 게
무리잖아요?
지금 제가 화를 내도
이상할 게 없는
상황이라구요.

그런 적 없어요.

그 소년이 불량배를 상대로 싸울 때, 당신이 오른손의 움직임이 어쩌느니… 했었죠?

맞아, 그렇지!

그래, 그게 조사를 의뢰한 진짜 이유야!

말했어! 분명히 말했어! 당신도 뭔가 알고 있었던 거지?

자, 잠깐만! 얼렁뚱땅 넘길 생각 말아요!

그럼.

이상한 소리는 이제 그만 해요.

대체 그놈은 뭡니까? 나한테도 좀 가르쳐 달라구요!

아야아~.

쿡.

안됐다…

푸.

후후후.

쿡쿡.

인간을 써서
할 수 있는 일은
이게 한계인가….

그 탐정을 없애 버릴까…

킥킥킥.

결국 별 수확도 없이…

……

킥킥킥 킥킥킥…

킥킥킥킥…

콰아앙

웃고 있었나,
내가?

무의식중에
자연스럽게 웃음이
나오는 것은
처음이군.

후후후…

호호호호….

표정 짓는
법을 잊고
있었어….

그 인간이
당황하는 꼴을
생각하니…

킥킥킥.

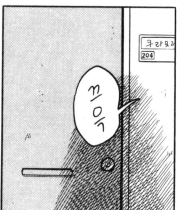

쿠라모리
204

잘 자고
있군….

파아.

어머.
혼자 마셔?

아―
피곤해.

관둬.

마실래?

...당신, 요즘
무슨 일 있어?

왜?

이건 상관 없어…

자다 말고 가위에 눌려 소릴 지르지 않나, 어디서 다쳐 들어오질 않나…

주제 넘은 일에 끼어들었다간 좋은 꼴을 못 본다는 얘기야.

그건… 왜… 물어?

이번 사건 있지… 그냥 단순한 뒷조사일 뿐이야?

당신은 큰 그릇이 못 되니까….

송충이는 솔잎이나 먹고 살아야지.

꼴깍

아… 나도 목이 마르네.

위험한 일은 경찰한테 맡겨 버리라구.

결국은 마실 거면서.

쳇.
남편한테 그게
무슨 말버릇이냐?

두고 봐….
깜짝 놀라게
해 줄 테니!

소설 걸작선

리소설 걸작선

리소설 걸작선

수리소설 걸작선

추리소설 걸작선

추리소설 걸작선

미스터리 전집

미스터리 전집

미스터리 전집

미스터리 전집

그놈들은 소리에
아주 민감한
모양이던데,
이번엔
조심해야지….

신이치!

그래!

찾았대.

......

기생생물들은 가까이에 있는 「동족」의 존재를 서로의 신호로 느낄 수 있다.

전화처럼 대화가 가능한 것은 아니지만 둘 사이에 어떤 신호를 정해두면 모스 신호 같은 통신은 가능한 것이다.

알았어.

다음 모퉁이에서 기다려.

흠....

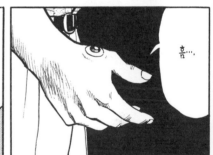

소리내지
마세요!

깨물어도
아프지 않아요.

제기랄.
굉장한 힘이다!
레슬링
선수 같잖아.

허억….

타세요.

해칠 생각은 없습니다.
우선 얘기하기
좋은 곳으로 가죠.

나, 나, 나를
어, 어, 어떻게
할 셈이야!!

한패가?!

몇 가지 물어볼 말이
있습니다.
하지만 그 전에
제 얘기를 들어 주세요.

하지만 저놈은
뭐야?!

조, 좋아,
들어주지!

······

당신이 얼굴을
알아볼 수 없도록
모양을 좀
바꾼 거예요.

아아,
그건···

어, 얼굴 모양이
이상하잖아!

우선···.

그럼 또···.

힉,
히익ー.

우아아아아악!

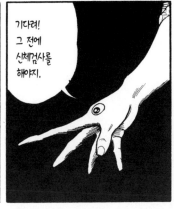

기다려!
그 전에
신체검사를
해야지.

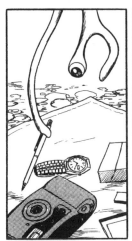

으히이이이익!

잘 들으세요.
우리는 목숨이
걸린 일입니다.

허억,
허억.

어, 이런
것까지?

탐정의 소지품은
조심해야 해.

으으….

신이치는 오른손에 생물이 침입한 것에서부터 현재에 이르기까지의 일을 대략 설명했다.

그러나 그 눈동자 속의 회의적인 빛은 끝내 사라지지 않았다.

처음에는 심하게 동요하던 사립탐정 쿠라모리도 이야기가 진행됨에 따라 차츰 안정을 찾았다.

눈앞에 이런 괴물이 있으니…, 완전히 허튼소리라고 할 수도 없겠지.

너무나 황당한 이야기라 믿어지지는 않지만….

…그래. 줄거리는 알겠다.

더 이상 뒤를 밟거나
하지 말아 주세요.
부탁입니다!

우리에 대해
아무 말도
말아 주세요.
이쪽 사정은 대강
알았을 테니.

그래서?
날더러
어쩌라고?

......

하지만 네 얘기로는
아직 괴물들이
더 있다는 건데?
그놈들을
그냥 놔두라고?

설령 실험대상이
되는 한이 있어도!

만약 정말 인류를
위해서라면
네가 직접 나서야지.

……．

자신을 희생하는 한이 있어도
인류 전체를 생각해야지.
그게 인간 아냐?

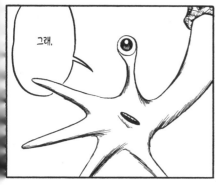

그래.

역시 이놈을
살려두면
안 되겠어!

자, 잠깐만 기다려!!

으악!!

잘 들어! 네게 살 권리가 있듯이 우리 기생생물에게도 살 권리가 있다.

하긴 「권리」라는 발상 자체가 인간 특유의 것이지만.

흥, 자기 희생이라니, 웃기고 있군.

히이이이 이이이….

……

…이 녀석을 잘 봐. 아직 10대인 고등학생이다. 너에 비하면 한참 어린애지.

아무튼 우리는 살기 위해서라면 무슨 짓이든 한다. 신이치가 실험대상으로 나서는 건 내가 허락 못해! 때문에 네가 내 적이 되겠다면 가차없이 죽이겠다.

으...
으으...

입장을 바꿔
생각해 봐라.
너 같으면 견딜 수
있겠어?

그런 어린애가 어머니를 잃고
시체의 산을 넘고,
온갖 참혹한 지경을 당하고서도
꿋꿋이 살아가려 애쓰고 있다.
가엾지도 않나?

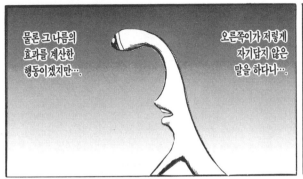

물론 그 나름의
효과를 계산한
행동이겠지만….

오른쪽이 저렇게
자기답지 않은
말을 하다니….

오른쪽이,
너….

달아나요!
뭘 하는 거야,
어서!

저… 진짜로
해칠 생각은
없습니다….

그래…
알고 있어….

안 돼!
그것만은
말할 수 없어!

그건…

하나 더 물어보겠다.
신이치에 관한 조사를
의뢰한 게 누구지?

장담하건데,
네 의뢰인은
기생생물이다.

우리도 대강
짐작은
하고 있어.

야, TV에서
본 거랑 똑같네.
탐정은 의뢰인의
이름을 절대
안 불어.

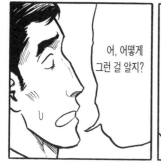
어, 어떻게
그런 걸 알지?

아까 이야기에서도
나왔던 인물이지.
신이치가 다니는
학교에서 실종됐다는
여교사가 바로
그놈이다.

뭐…
뭐라고?!

타미야 료코.

어?
하지만 이름은
바꿨을
텐데…

그럼 이름을
말해 볼까?

이건 감으로 찍은 거다. 「타미야 료코」…와 비슷한 이름이지?

타… 타미야…?

타무라 레이코….

타미야 료코….

그래, 이름 같은 건 아무래도 좋아.

우리 기생생물들은 이름에 그리 구애받지 않는다…. 집착이 없으니까.

설마….

섣불리 따고들었다간 우리보다 그 의뢰인한테 죽을 거야.

괜찮을까,
저 친구…?

…이해는 한 것
같은데….

저놈의 신원은
알아냈으니
여차할 때는
처치할 수도 있고.

야….

게다가 증거만
주지 않으면
우리에 대해
떠들어 봐야
아무도 믿지 않을 테고.

무슨 일이 생기면 다음엔 제가 달려갈게요.

응, 부탁할게.

우다 아저씨와 죠 덕분 이에요.

하지만 아무도 죽이지 않아서 다행이구나.

예에??

품위가 있어서.

그래도 넌 좋겠다. 오른쪽이는…

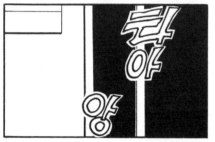

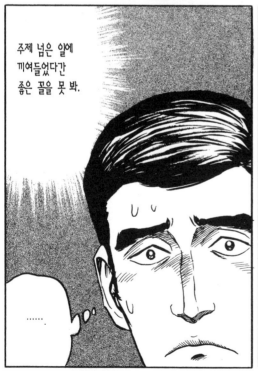

주제 넘은 일에
끼여들었다간
좋은 꼴을 못 봐.

......

행방불명된
여교사라고?

소설보다 기구하다…
기구한 정도가 아냐.
이건 완전히
환상특급이잖아?

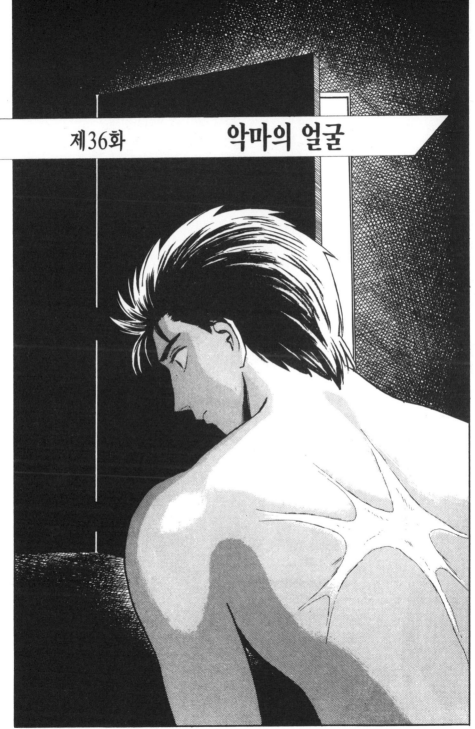

제36화 악마의 얼굴

…와 보면
알아.
E동 옥상에서
3시 반에….

네 건강한
모습도
보고 싶고.

그건…
직접 만나서
얘기하는 게
좋겠다고
판단해서야.

그럼 나중에
보자.

이…

재미있군.
우리가 수상하다고
생각한 순간
직접 나타나다니.

이런 게
어딨어!!

…대학
이라고?

사람을
바보로
아나!

어이, 안 졸리냐?

저녁 때까지는 괜찮을 거야….

응, 그래.

나 자신도 이전과는 운동능력이 천지차이니까. 오른쪽만 깨어 있으면….

만약 싸움이 붙더라도 1 대 1이라면 이길 수 있을 거야.

그나저나 왜 하필 대학교로 오라는 거지?

함부로 들어가도
되는 건가…?

에이,
모르겠다.

아직 시간이
남았군….

중학교나
고등학교하곤
분위기가
딴판이네….

…이타행동, 즉 타자의 이익을 위한 행동으로 …이기의 반대인데….

투욱

투욱

동물의 이타행동과 그 의문점

인간들에게는 그리 드물지 않을 수도 있는데…,

자신에게 이익이 돌아오지 않는, 어쩌면 해가 될지도 모르는데도 타자를 돕는 행동….

박애주의 이타정신 등으로 불리는 이것은 인간만의 것이 아닙니다.

뭘 하니?

얘.

......

뭐라니, 저기…

한가한가 보네.

1학년이니? 굉장히 어려 보인다, 얘.

......

어, 아기다

인간 이외의 동물에서도 상당히 많은 수의 이타행동이 보고되고 있습니다. 그럼 몇 가지 사례를 들어보죠.

깜짝이야…. 뭐야, 저 여잔…?

아… 저기 그….

귀여워.

어머 귀여워라~.

저기 봐.

다음은 늑대의 경우….

하지만 애 엄마가 돼서도 공부하러 오다니 대단하다, 그지?

응.

정말 잘도 자네.

청강생 아냐?

학생인가?

또한 무리 전체의 안전을 위해 자신을 위험에 빠뜨리는 예도 몇몇 동물종에서 보고되고 있습니다.

돌고래나 코끼리 무리에는 실제로 「조산원」이나 「간호사」 역할을 맡는 것도 있고.

…이상, 동물들의 예에서 봤듯이 적으로부터 새끼를 지키는 부모는 적지 않습니다.

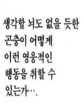

생각할 뇌도 없을 듯한 곤충이 어떻게 이런 영웅적인 행동을 취할 수 있는가…

개미나 꿀벌 등은 외적이 나타나면 한 마리 한 마리가 스스로를 희생하며 보금자리를 지키려 합니다.

그럼 이번에는 곤충에 눈을 돌려보죠.

그것을 뒷받침하는 대표적인 사례가…

「본능」일지는 모르나 「종」을 지키기 위해서는 아닌 듯합니다.

얼마 전까지는 이것이 「종」을 지키기 위한 「본능」이라 일컬어졌으나… 그렇지 않습니다.

「새끼 살해」
입니다.

자신의 새끼가 아니라고는 해도
같은 종 내에서의 새끼 살해는
사자나 원숭이 이외에
곤충의 세계에도 존재합니다.
왜 같은 종의 새끼들을
죽이는 걸까요?

아… 아뇨,
전….

어이, 너
어느 동아리
소속이지?

즉, 모든
동물의 육체는
유전자의
꼭두각시
라는 거죠.

최근에 널리
알려진 것이
「이기적 유전자」
설입니다.

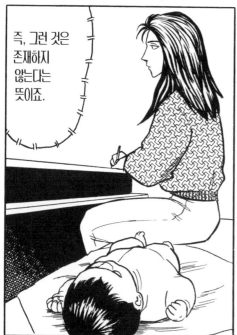

즉, 그런 것은
존재하지
않는다는
뜻이죠.

「종」이 아니라
「자신」, 나아가서
「자신의 유전자를
계승하는 자손들」
만이 중요하다─란
거죠.

그 설을 확대 해석하면
모든 이타행동,
즉 군집 동료에 대한
배려나 가족애, 부부애,
그리고 모성애도
설명이 가능합니다.

물론 그 설에도
의문점은 있습니다.

자신의 유전자와
전혀 관계없는
타지를 돕는…
혹은 「종」조차 다른 상대를
보호하는 동물의 사례 또한
수없이 많습니다.

「이기」인지
「이타」인지
고찰해 보는 것도
재미있을 겁니다.

…어쩌면
인간이 행하는
환경보호나
자연보호
활동 등이,

또한 복잡하기
그지없는
인간의 의식이
이 설에 끼워 맞춰
해석될 수
있느냐는 거죠.

귀여워ㅡ.

까아~.

시간이 됐군….

실례.

……

몰라ㅡ. 하지만 애엄마인걸, 뭐.

어머ㅡ. 아기를 저렇게 들고 가는 법도 있나?

잘 왔어.
…건강해 보이네.

…….

여기를 고른 것은
우선… 다른 「동족」들이
잘 오지 않기 때문이야.
다른 기생생물이
끼어들면 일이
복잡해지니까.

…왜 이런
곳으로….

쳇!

그리고…
듣고 싶은
강의가 있어서.

......

무슨 일이 있었지?
자연히 그리 된 것
같진 않은데….

정말이군….
전과 상당히
달라졌어.
어떻게
융합한 걸까….

네 애야?

그
아기는…

정보를 교환하지 않겠어? 서로를 위해.

오른손… 「오른쪽이」 라고 했지?

손을… 대?

현재로서는 손을 대지 않고 있지만.

그래… 내 거지.

……

먼저 확인하고 싶은데…. 「인간」 탐정을 고용한 것이 너인가?

나는 상관없어…. 만약의 경우에는 다른 인물이 되면 되니까.

우리만이 아니라 너 자신에게도 지극히 위험한 짓이라는 생각은 안 들었나?

나부터 묻겠어!

잠깐!

…그래서? 뭘 알고 싶지?

그 시장은 괴물이고, 그 동네에는 괴물들이 모이고 있어!

내가 사는 곳의 옆 시인데,

히로카와라는 새 시장을 알고 있겠지?

단지…

나도 잘은 몰라. 그들과 별 관계도 없고.

그건 뭣 때문이지? 무슨 꿍꿍이를 하고 있는 거야!

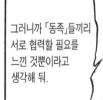

그러니까 「동족」들끼리 서로 협력할 필요를 느낀 것뿐이라고 생각해 둬.

앞으로는 어떤 의미에서든 인간들과의 공존을 생각하지 않으면 안 되게 됐어.

우리 기생생물도 성장하고 있는 거야. 무작정 인간을 먹어치우는 게 안전하지 않다는 걸 깨달은 셈이지.

인간과 가축들도 공존하고 있잖아! 물론 대등진 않지. 돼지 입장에서 보면 인간은 일방적으로 자기들을 잡아먹는 괴물일 뿐이야.

…다른 생물을 예로 들어 봐야 허사겠지만…

우… 웃기지 마! 공존이라니…! 식인 괴물들과 무슨 공존!

개중에는 「사람은 자연보호, 자연은 사람보호」 같은, 말도 안 되는 슬로건도 있고.

인간들 자신도 거창하게 떠들어대고 있잖아? 「지구의 모든 생물은 공존해야 한다.」

……

나는… 나는 도저히 너희들을 용서 못해!

네 말은 나름대로 타당한 의견일지 몰라도…

으…. 으이이.

무슨 일이 있었지? 아무리 봐도 지금의 너는 보통 인간과는 달라…. 뭐라고 할까….

어머니가
행방불명이라지?

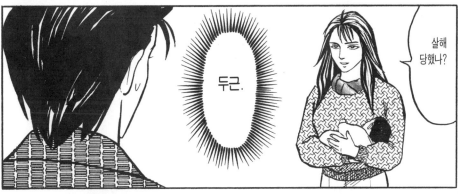

두근.

살해
당했나?

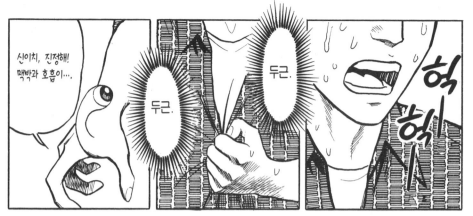

크….

죽인다!!

호…
굉장하군!

공기마저
떨리는 것
같아.

고등학생…?

입 닥쳐.

인간은 어린애가
훨씬 예민하군….

흐으응….

…어째서!

왜 저런 녀석이!

에잇!

…뭐?

…아… 저기….

비켜! 인간들아!!

그놈만은!

용서못해!
용서못해!

여느때 같으면
금세 차분해
졌을 텐데!

왜 그래, 신이치?
이상하다.

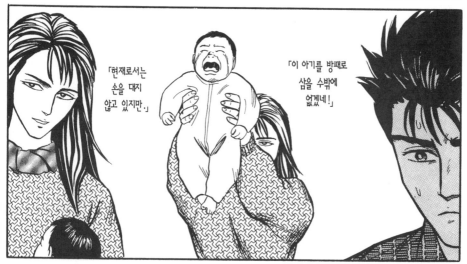

「현재로서는
손을 대지
않고 있지만.」

「이 아기를 방패로
삼을 수밖에
없겠네!」

후아
후아.

헉! 헉!

후ㅡ….

하.

하.
하.

젊은이!

이봐요,
젊은이.

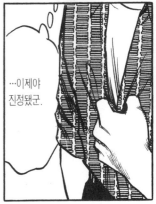

…이제야
진정됐군.

그래.
당신 말이야.

손을
보여 봐요.

왜 그러지?
무척 힘든 일이
있나 보네.

이리 와 봐요.
봐 줄 테니.

......

왼손?

손 말이야.

가슴에 구멍이 뚫려 있군요.

당신 지금...

그것도 아주 큰 구멍이….

그걸 어떻게!

手相

예?!

네?

만나요.

…….

어떻게 하면 그 구멍을….

어떡하면 그…,

…….

만나서 얘기를 하고 훌훌 털어버려야 해.

당신의 가슴에 구멍을 뚫은 상대를 다시 한 번 만나요.

후... 후후...
후후.

알았어요?
당신 가슴의 구멍을
메워줄 수 있는 것은
그 상대뿐이야.

...그 상대는
이미 죽었어요.

......

手相

제36화 —끝—

여보세요, 잘 들립니까? 지금 아틀라스라는 커피숍으로 들어갔습니다. 저도 잠시 후 따라가겠습니다. 라저.

그 여자는 뒤통수에도 눈이 달려 있다구.

알았다. 각별히 주의해야 돼.

이 친구의 이름은 아베. 우리 탐정 사무소에서 아르바이트를 하는 청년이다.

하지만 솜씨만은 만만찮은 놈이라서…

하하하! 맡겨 두세요.

어서 오세요─.

나이에 어울리잖게
판단력이 뛰어나고,
끈기도 있는데다,
도망가는 솜씨마저
대단하다.

지금까지 몇 번인가
내 일을
도와준 적이 있는데,
늘 재미있어 하며
받아들여준다.

내 실수
때문이었다.

이번에 또다시
저 친구의 힘을
빌리게 된 것은,

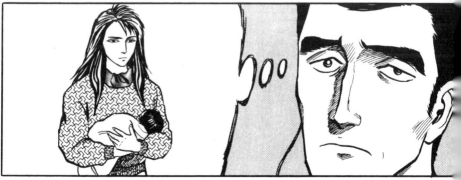

하지만 그녀의
정체에 대해
반신반의한 것은
사실이다.

만약… 이놈이
사람을 먹는
패러사이트라면…
그 증거 사진이라도
찍는 날이면 나는…

전체가 「뇌」이자
「눈」이자 「촉수」?
더욱이 그것이
「동체」를 조종해
사람을 잡아먹기까지…
그런 놈들이 길거리를
돌아다니다니…
그럴 수 있을까?

신이치와
또 한 사내의
변형된 모습을
보긴 했어도…

우악!

그래…
그게 실수였다.
만약 전체가 「눈」이
될 수 있다면
머리 앞이고 뒤고도
없을 텐데…

지나던 길이라….

아니, 저기…

당신하고는 이제 끝난 줄 아는데요?

으….

무능한 탐정이 쓸데없는 일에 끼어들었다간 화를 입을지도 모른다구요.

확실히 말해 당신은 무능해요. 이렇게 아기까지 안은 주부한테는 들키는 형편이니.

섣불리 따고들었다간 우리보다 그 의뢰인한테 죽을 거야.

주제 넘은 일에 끼어들었다간 좋은 꼴을 못 봐.

누굴 바보로 알고. 두고 보자.

누군가를 기다리나 봅니다.

물론 그에게도 괴물의 조사라는 말은 못하고, 단순한 유부녀의 뒷조사라고만 해 뒀다.

아무리 그녀라도 아베의 얼굴은 아직 모르겠지.

아….

어?

이야—. 안녕하십니까.

남자예요. 몸집이 큰 남자.

예입! 「미키」입니다.

당신이…
「미키」씨
인가요?

아아,
하루 안 보면
덧납니까?

아하하하.

「고토」
씨는요?

이거요?
개성임다, 개성.

공부를 많이
했나 보군요.
얼굴 표정
이라거나….
좀 과장된 듯도
하지만….

얼굴은 잘생긴
편이지만
좀 가벼운
친구군요….

이거 그렇게
말씀하시면 섭한데요—.
하하하하.

…운동성은 좀
떨어지는 것
같지만.

표정이 풍부해야
먹이도
잘 걸리거든요.

더 가까이 가서 이야기 내용을 들어 볼까요...?

누가?

어? 벌써 일어서네?

음.... 하지만 조심해야 돼.

너무 짧네. 장소를 옮기려나?

둘 다요! 벌써 가게를 나서는군요.

어? 헤어졌습니다. 뭔가 연락만 취한 모양인데, 어쩌죠?

남자를요?

그래.

남자를 미행해 줘.

아냐!

그럼 우선 여자를….

별 목적은 없나 보군…. 걸음걸이가 어쩌 맥이 풀렸네.

나, 정말 화났어!

오락실로 들어갑니다.

항복!
내가 졌어.

......

아야
아야

아야

오내
패려

하하하!
이쯤이야
가볍지.

이야,
굉장한데!

여자를
낚아?

여자를 하나
낚았는데요.

요 앞의 빌딩 지하야. 조금만 더 가면 돼.

저기, 주차장 아직 멀었어?

이번엔 또 어딜 가나…?

하하하 하하하.

하하하. 운전만은 문제없어.

아까 그 운동신경을 갖고 차 운전인들 제대로 할까 몰라?

바탕이 이 모양 이라서.

음하하하. 상관없어.

얼굴은 그만하면 미남인데… 좀더 진지하게 앉아 있으면 더 근사해 보일 텐데.

당신 말이야,

음.

여기?
정말 이 빌딩
지하야?

저 웃음에
여자가
넘어가나?

어….
생각보다
계단이 기네.

편의점에서 두 골목 앞
모퉁이를 돌아
「제6빌딩」이라고
써 있는 건물입니다.

제 6빌딩

지하니까요….

어째 감이 좀 먼데, 아베 군?

복도가 빙빙 도는 느낌이랄까….

그나저나 희한하게 생긴 빌딩일세….

크헉!

기분 탓인지 이상한 냄새도 나고….

지… 지금 그 소린…

!

아주 섬뜩한…
등골이
오싹하는…

아뇨… 뭐랄까
이상한 낌새가
있어서….

왜 그래?

아,
아베 군?!

으아아아악!!

허억!

이런.

!!

내가 워낙
둔하다 보니
미처 몰랐네.

어이…!!

으아아아아!
…끅!!

어떻게…
…어떻게
된 거야!!

먹혔나…?!

여기다!
…설마
괴물한테…

그래도…
섣불리 다가갔다간
나까지…

어떻게 하지…!
어, 어쩌면 좋지!
이건 내 책임이잖아!

신이치.

아.

힘을 빌려 줬으면 해.

그게 아냐!

이제 그만 우리한테는…

…….

특히 그… 오른손의 「탐지능력」을.

…내 책임인 건 분명하지만 도저히 혼자 들어갈 용기가 없어서….

…….

그러니까… 겨우 그 정도인 주제에 끼어들긴 왜 끼어들었어.

이상한걸. 좀전에 아베는 자물쇠에 대해선 한마디도….

문이 잠겼네.

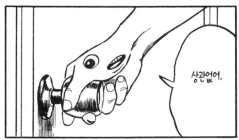

상관없어.

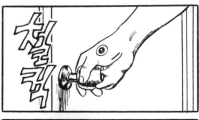

철컥

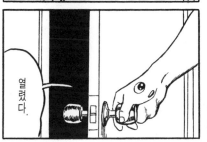

열렸다.

…….

…….

…….

탐정이란 게 그런 직업이에요?

아니, 저어….

굉장하다…! 이만하면 뛰어난 도… 아니, 탐정이 될 수 있겠어.

미행하던 놈이
무선으로 연락한 것
같다고?

그렇습다.
「식당」을 들켜서
얼른 죽이긴 했는데,
그놈이 가진 물건이….

부서진 무전기랑
필기도구
뿐입니다.

아뇨.

그놈의
신원을
알아낼 만한
물건은?

있어요.

그 남자에 대해
짚이는 건 있나?

나와 헤어진
직후였죠?
아마도…

처음에는 나를
미행했을 거예요.

뭣보다 타무라 씨가 없었으면 이 시의 식민화 계획도 없었을 것 아뇨.

너무 그러지 마시구랴.

…난처하게 됐군. 당신이 다방면에 흥미를 갖고 연구하는 건 자유지만 이쪽에까지 피해가 돌아온다면 얘기가 달라.

자넨 얼굴 표정이 너무 잘 바뀌는데… 좀 부자연스러운 것 같아.

나랑 「고토」 씨에 비하면… 인간 식으로 말하면 「은인」이니까요.

이동중인 자들이 많아서 말이야.

아무튼 D블록 3호 「식당」은 폐쇄한다고 인근 「동족」들에게 연락하는 중이지만,

서두르는 게 좋겠어.

「쿠사노」 씨도 그렇게 생각 하십니까?

얼라리.

내일 다시 한 번 점검하는 게 좋겠습니다.

안은 일단 청소를 해 뒀지만,

그건 어떻게든 하지.

하지만 그 전에 경찰이라도 들이닥치면….

이 상황에서까지 그런 소릴!

지금은… 너무 일을 크게 벌이지 말았으면 하지만….

그 짐작가는 놈을 당장 처리해 줘야겠는데.

문제는 무전의 「상대」다.

안까지 들어왔는데 아무것도 없네….

난 아무 냄새도 안 나는데….

응?

하지만 뭘까, 이 냄새….

…….

기분 나쁜 냄새인데…. 전에도 언젠가 한 번….

!!

신이치!
「동족」이
하나 온다!

하지만 여기에
있어 봐야….

지금 나가면
입구 부근에서
마주치게 돼.

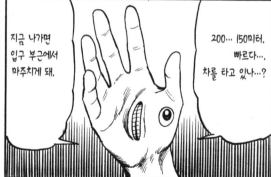

200… 150미터.
빠르다….
차를 타고 있나…?

뭐라고?
지금 그런
소리를
할 때가….

그놈의
사진을
찍고
싶은데.

저…
신이치 군.

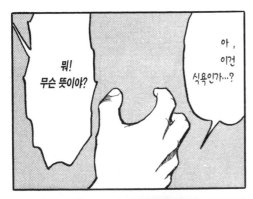

뭐!
무슨 뜻이야?

아,
이건
식욕인가...?

벌써 들어왔어!

뭐...

도시락을
싸왔군....

아무튼 들어가!
친구도
와 있나 보다.

어머,
여긴 뭐야?

어라?
청소를 했나?

친구?

왜 저런 곳에
숨어 있지?

?

상관없지,
뭐…

그래…
거기가 좋겠다.
거기 서 있어 봐.

으.

왜 그래?
이상한
사람이네.

나가지 마!
신이치.

……

드디어 사람을
잡아먹는
순간이다!

?

그럼.

그만둬!!

너…넌 대체….

인간인가?!

엄마!

!!

뭐?!

그 남자한테서
떨어져요!!

위험해요,
누나!

빨리
가라니까!!

빨리!

아야.

픽

이게 무슨 짓이야!!

너무해~!

휙이익

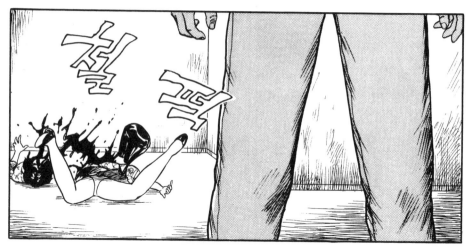

여기서 의논을 하며 2인 3각을 벌이다간 죽는다.

뭐?

알겠지? 신이치, 내 존재는 잊어라!

흐흐

이익

그래,
보인다!

저놈의 움직임이
보여?

어… 엄청나다!
이렇게
빠를 수가!

그러면
이길 수
있겠어?

너는 상대의 공격을
피하기만 하면 돼.
지난 번처럼 맨손으로
쓰러뜨릴 생각은 하지 마!

퀵

압!

엇!

치어어

이만하면
기마전은
문제 없겠다.

좋아,
제법 민첩하게
움직이는군.

누가 말인데?

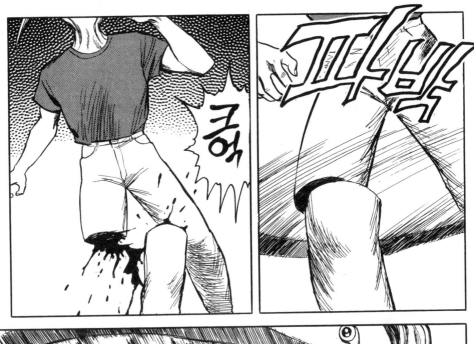

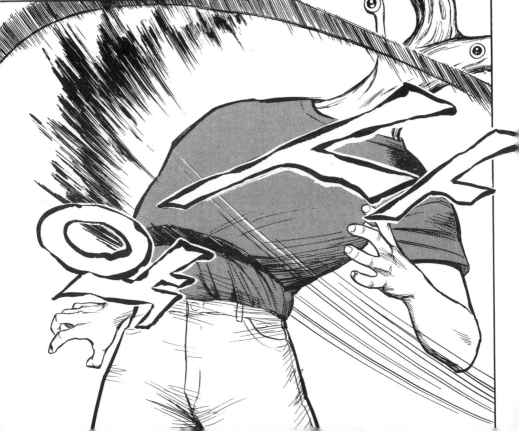

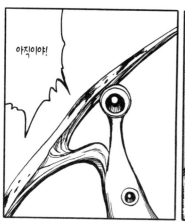
아직이야!

됐다!

퍽

아아아아…

크윽!

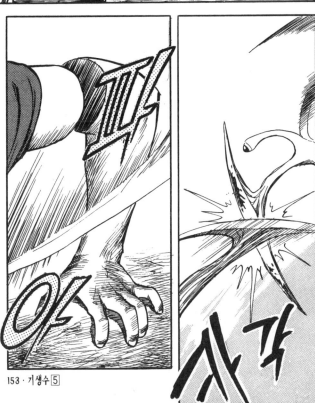

아무리 발버둥쳐 봐야
인간부분인 목 아래는
약점이지.
약점만 노리면
이길 수 있어.

헉─.
허억─.
허억─.

구하지 못했어.
…눈앞에서.

…….

내가…
나 하나만
소중
했으니까.

후…
뭘 새삼스럽게?
다 알고 있었잖아.
다 알면서
아무것도
못했는데….

...그나저나
곤란하게 됐군.
얼떨결에
이리 되긴 했지만.

듣고 있어?
신이치?

그렇다면 이건
이놈 하나와의
문제가 아니라
히로카와 집단에
대한 적대행동
이라는 얘기야.

저 녀석의 태도로 보아
이 장소는 「히로카와
시장」이 꾸며 준
조직적인 「식당」 중
하나인 것 같다.

우욱 우엑
우에엑!

아무튼 우선 여길
떠나는 게 좋겠어.
시외로 나가자.

그래….

문제는 타미야 료코가 히로카와들과 어느 만큼 관련이 있느냐다…. 만약 우리의 신상까지 그 여자를 통해 히로카와 집단에 알려져 있다면….

허억!
허억!

…?

역시 난…

뭐?

실수야…

찰칵

후─.
여기까지 왔으면.

이끼
익

물론 이대로 끝낼 생각은 아니겠죠?

쾅

쿠라모리 씨.

후—하. 후—하.

아까 죽은 여자와 그 아베라는 사람의 일도 있으니.

......

적어도 그 사람이라면 얘기를 들어줄 겁니다. 내가 괴물이 아닌지 의심했을 정도였으니까.

이봐, 신이치!

전에 카나라는 여자 애가 살해당했을 때 담당이었던 형사가 에—.「히라마」인가 했는데.

괜히
그러는 게
아니야.

히로카와
패들과
싸워야 해.

괜히
부추기지 마라,
신이치.

그걸 증거삼아
그 빌딩을
조사해 달라고
하세요.

자칫하면
아주 위험한 상황에
처할지도 몰라.
그런 얘기를 할
상황이....

사진은
찍었죠?

난 이제 더 이상
못 참겠어!

바보 같은 소리!
우리도 찍혔단
말이다!

뭐라고?!
무슨 뜻이야?!

...아버지까지
잃고 싶어?

걱정할 거
없어.

아.

그런
말이….

모두의 말이 옳았어.
나 같은 게 끼어들
자리가 아니었어.

착각이었어.
역부족이야.

다 폐기할
거야.

아, 맞다…
「타미야 료코!」
…「타무라 레이코」랬죠.
그놈에 대해
조사했잖아요?
그것도 분명 증거가….

아까 그걸 봤잖아요?!

그걸 보고도 아무런 생각이 안 듭니까?!

왜….

그런 걸 보고도! 그런 걸 보고도 싸워야겠다고 생각하는 게 비정상이지!!

생각해!

이가 딱딱 부딪치는 게 죽을 지경이라구!

좀 전의 싸움도 …솔직히 말하면 괴물 두 마리의 살육전이었어.

넌 이제… 보통 인간이 아니야.

네가 말이야!

…!!

용기도
없어.

힘없는 인간인 나는!
나 하나를 지킬 힘도,
무기도 없고,

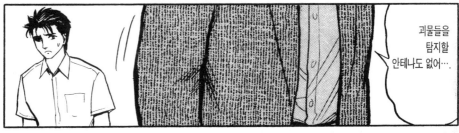

괴물들을
탐지할
안테나도 없어….

…너와 같은
수준으로
여기지 말아 줘.

오늘부로,
괴물에 대해서나
타무라 레이코,
…너에 대한 것을
싹 잊을 거야.

지난번에…
너한테 인류를
위해서라느니
뭐니 잘난 체해서
미안했다.

나는 마누라와
자식이 있는
몸이야.

그런 눈으로
보지
…말아줘.

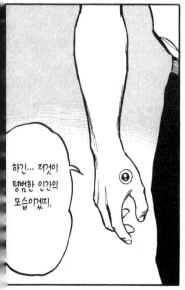

하긴… 저것이
평범한 인간의
모습이겠지.

부
웅
웅

…시끄러워!

넌 이제 보통
인간이 아니야…

내게 가능한
일은….

내가 할 수
있는 일…

그건 그래….

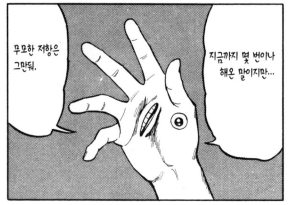

무모한 저항은
그만둬.

지금까지 몇 번이나
해온 말이지만...

신이치.

1 대 1이라면
이길 수 있어.

오늘은
이겼잖아.

무모해?
글쎄.

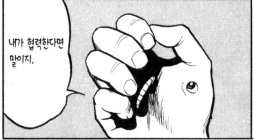

내가 협력한다면
말이지.

오른쪽아....

지금까지도
그랬어.

하려고만 하면
뭐든 가능해!

오른쪽이만
협력해주면
할 수 있어.

시마다를 쓰러뜨린
방법도 있고.
(단, 원거리에서 적이
이쪽을 보지 못했을 경우.)

싸우는 방식으로는
오른쪽이가 방어에
전념하는 전법이나.

하지만 뒤에서 몰래 적을 해치우는 건 어떨까?

표면적으로 다른 인간들에게 협력을 구하려 하면 오른쪽이 협력해 주지 않을 테지만.

한 마리씩… 그래, 한 마리씩이다!

인간의 이기심이라고 욕할 테면 해봐. 난 한 사람이라도 더 구하고 싶다구.

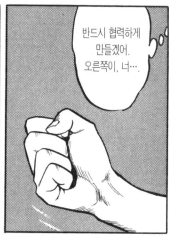

반드시 협력하게 만들겠어. 오른쪽이, 너….

한 마리가 사라지면 그만큼 희생자도 줄어들겠지.

한 마리씩 죽인다….

음!
이거다.

바로
이거야!

가까운 사람들에게
해가 미치지
않을까 하는 불안…

기생생물의
존재를 알면서도
아무것도 못 해온
자신에 대한 환멸…

기생생물을 찾아
한 마리씩 죽여 나간다.
그렇게 결심하자
신이치는 어쩐지
마음속 응어리가
풀린 기분이 들었다.

하지만 그는 지금,
그 감정이
가야 할 곳을
발견한 것이다.

그리고 가까운 사람을
잃은 분노의 감정이
뒤섞인 채 쭉 가슴 속에
자리하고 있었다.

긍정적인 생각으로
자신을 안심시키고
싶었을 뿐인지도
모른다.

결과까지는
생각하지
않았다.

그게 특별한
능력을 지닌
자신의 사명이
아닐까…

일단은
할 수 있는
일부터 하자!

……

뭔가 서로를
못 믿고 있달까….
요즘 통 말도
안 했고….

사토미.
저애랑 또
싸웠니?

응….

뭐….

그냥 좀 찜찜한
것뿐이야.

저봐,
싱글거리기까지
하네.

……

하지만 저쪽은
하나도 안 그런가
본데?

내 힘으로 희생자를
줄일 수 있다….
한 마리가 죽으면
그만큼 사토미의 위험도
줄어들지 않을까?

영문을
모르겠어.

아~.

이거,
왜 그러는
거야,
너 또!

사람은
삶의 보람을
찾았을 때
이런 표정을
짓는 것인지도
모른다.

한 사람이라도
…더

지켜 줄 거야.

하지만 얼마 안 가,
신이치는 자신의
생각이 얼마나
유치하고 안일했는지
뼈저리게 알게 된다….

상당히 치열한
싸움이었나 보군.

이게 무엇을
의미하는가?

하지만!
적은 상처 하나
입지 않은 듯하다.

아무튼 몸이
다섯 조각이
나 있었다니까요.

적은 강하다.
…그냥 둬서는 안 돼.

소년과 오른손에 그만한 능력이 있다면 더더욱 원인을 알고 싶고….

죽이기는 아까워요. 탐정이야 어찌되든 상관없지만….

당신은 그 적을 감싸고 있어.

그놈은 틀림없이 위험한 존재다.

대체 왜지? 인간들도 아닌데 왜 이렇게 의견들이 분분한 거야?

아직은 그럴 수 없어요.

타무라, 당신은 인간의 아이를 사육하고 있다지…? 그게 무슨 영향을 줬나? 아예 처분하지 그래?

이것은 아무리 생각해도 묵과할 수 없어.

아무튼 우리가 정한 「식당」 안에서 「동족」이 죽었다.

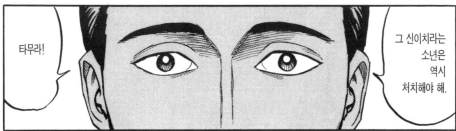

타무라!

그 신이치라는 소년은 역시 처치해야 해.

알았어요…. 할 수 없군요.

…….

해부해 보고 싶으니까.

시체는 가급적 원형 그대로 가져다 줘요.

단, 상당히 무서운 상대니까 조심하고.

…나한테 맡겨줄 수는 없을까요?

그럼 이 역할은 고토가 적임일까?

강한 상대라면 좋은 연습 상대가 되겠죠.

솜씨를 시험하고 싶어서요.

불끈

당신이?

괜찮다니까요!

당신으로는 걱정스러운데.

아하하….

역시 걱정이야.

쇼팽입니다.

대단하군,
고토.

모짜르트인가?

「미키」가 하고
싶어하면
시켜 보시지요.

···이번 상대는
꽤 강한 모양이더군.
역시 자네가
맡아 줘야겠어.

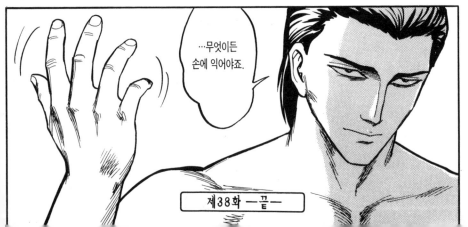

···무엇이든
손에 익어야죠.

제38화 —끝—

월간 **애프터눈**
독자페이지에서······················Vol.**13**

기생수 5
Kodansha Afternoon KCDX

독자의 질문에 작가가 대답했다

「신이치와 오른쪽이의 호흡이 딱딱 맞는 연계 플레이는 언제 봐도 정말 멋집니다.」
(도쿠시마. 우에노 마사히코. 22세 회사원)

「오른쪽이는 얼핏 보면 신이치의 '무기'인 것 같지만, 전투에 들어가면 대체로 '지휘관'
노릇을 합니다. 무기 겸 지휘관이라는 것도 폐 드물지 않을까요?
신이치는 아직 미성년이라 때로는 타인의 지도가 필요하니까 이 정도로 잘되는 건지도 모르죠.
오른쪽이가 기생한 상대가 회사 사장이나 정치가였다면 대판 싸움이 벌어졌을지도 모릅니다.」
(이와아키 히토시)

(애프터눈 '93년 3월호에서)

「신이치는 죽을 위기에 처했는데도 어떻게 저토록 냉정할 수 있을까?
이건 이미 인간이 아니다.」 (후쿠시마. 하라다 마사노리. 20세 학생)

「신이치도 점점 더 위험에 익숙해진 듯합니다. 아무리 피비린내 나는 상황이라도 옆에서 오른쪽이가
태연한 얼굴로 이야기하는 탓일지도 모르죠. 죽음의 공포가 날아드는 살조각 앞에서 묘하게 냉정한 것은
분명 인간답지 않은 모습이지만, 이야기의 무대가 평화로운 일본이니까 더욱 이질적으로 보이는
건지도 모릅니다.」 (이와아키 히토시)

(애프터눈 '93년 4월호에서)

기생수 5

Kodansha Afternoon KCDX

—수상을 축하드립니다. 소감이 어떠십니까?

이와아키:무척 기쁩니다. 꼭 상을 탔기 때문만은 아니지만, 앞으로 실망시키지 않도록 더욱 노력해야겠다는 생각입니다.

Interview

—「기생수」를 그린 동기는?

이와아키:너무 오래된 일이라 잊어버렸습니다만(웃음). 아무튼 읽기 시작해서 끝낼 때까지 지루하지 않은 이야기를 만들고 싶다, 이 이야기라면 그럴 수 있겠다, 라고 생각했죠.

Interview

—프롤로그의 하늘에서 떨어지는 장면 때문인지 기생생물은 우주생물 같은 이미지가 있는데요?

이와아키:대부분 소개기사에는 '우주에서 왔다'라고 되어 있는데, 그건 첫 부분의 내레이션처럼 지구 어딘가에서 발생한 것입니다. 위에서 떨어졌으니 그렇게 받아들여졌을지 몰라도….

그건 바람에 날아왔다는 이미지거든요. 소재를 떠올렸을 때, 식물 같은 씨앗이 바람에 날아가는 이미지를 생각했던 기억이 있습니다. 아무튼 강담사에서 일하기도 전… 벌써 10년쯤 전에 생각했던 이야기라, 첫 설정은 거의 잊어버렸습니다(웃음).

p2870에 계속

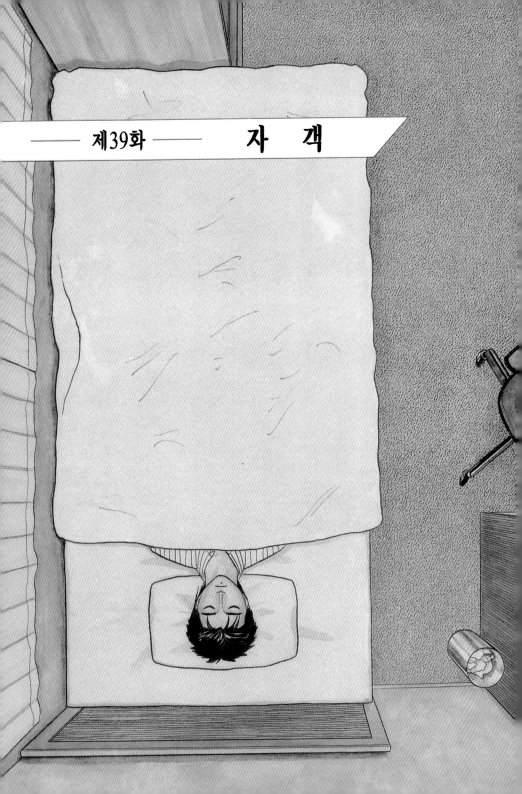

제39화 ── 자 객

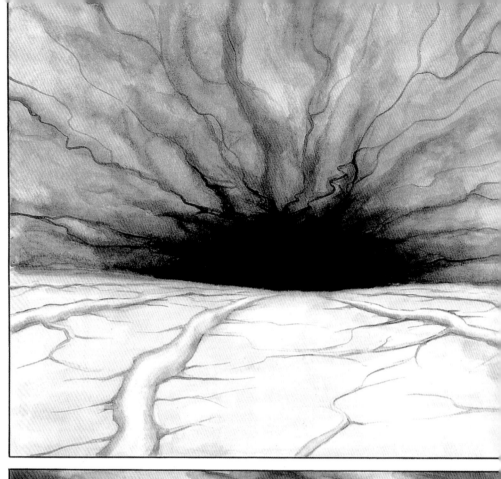

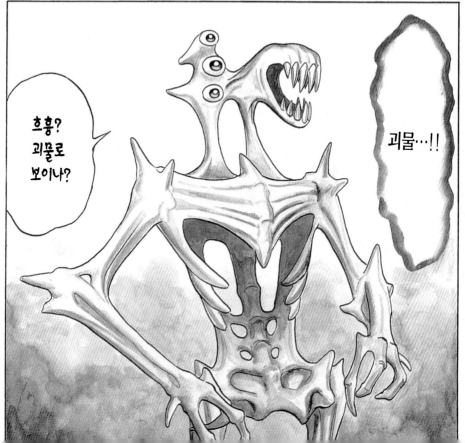

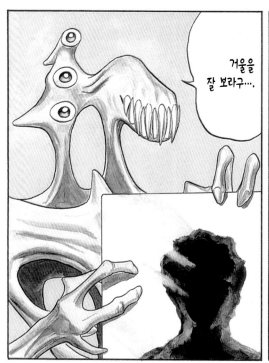

거울을 잘 보라구….

남의 말을 할 처지가 아닐 텐데.

우아아악!!

젠장!
끔찍한 꿈이네!
재수없게.

……

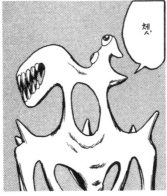

쳇.

그 괴물…

전에도
꿈에….

어떻게 오른쪽이를 설득한다?!

한 마리씩 기생생물을 퇴치하는 것….

됐어… 지금은 꿈 타령이나 할 때가 아니지.

흥… 흐흐흐.

역시 그 수밖에 없겠어. …싸울 수밖에 없는 상황으로 뛰어드는 게 제일 손쉽겠지.

왜 그래?

그…그래?

신이치… 지금 굉장히 무서운 얼굴이었어.

앗!

아, 늦겠다.

어.

좋은 기회 일지도….

뭐? 또…?!

그게 문제가 아냐! 「동족」이다!

왜 그래? 수업시간 늦겠어!

그놈은 어느 쪽으로 가고 있지?

좋아! 그럼 싸워 볼까!

역시 그 빌딩 지하에서 벌인 일이 원인인가 봐. 정체가 탄로나 있어.

세 마리라고, 제길—!

한가한 소리 마! 목표는 바로 우리다. 살의를 품은 채 똑바로 이리 오고 있어. 게다가 셋씩이나!

셋…!

…만약 싸운다면 이 학교 안이 최적이다. 이유는….

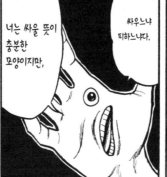

너는 싸울 뜻이 충분한 모양이지만,

싸우느냐 피하느냐.

이봐! 수업종 울렸는데 뭐 하나!

살아 있는 벽…?

「A」에게는 장애물이지만 우리에게는 방패가 되지.

…신이치는 집단 속에 있으면 돼. 이른바 「살아 있는 벽」 속에…

안 돼!! 절대로 안 돼!!

헉! 헉!

……

신이치!

무슨
일이야?

어?

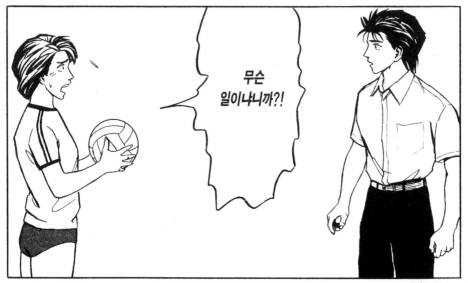

무슨
일이냐니까?!

......

괜찮아!
이제 걱정할 것
없어.

항상 저렇다니까!

씨이!

또야!

「걱정할 것 없어」 라고…?

걱정할 거 없어.

괜찮아…

너 설마!

신이치….

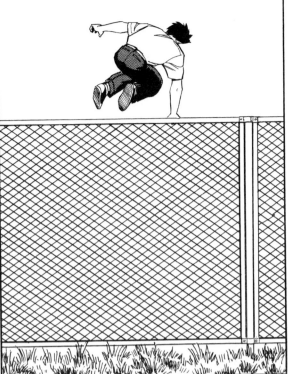

아니,
신이치는?

신이치!
대체 너….

어떡하지!
어디서 어떻게
싸워야….

놓쳤다.

300미터 이상
떨어졌어.
적들도
움직이나 보군.

멈춰!

뭐?

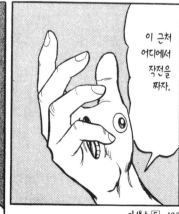

이 근처
어디에서
작전을
짜자.

그래~ 미안하다!
난 바보다,
어떨래!

아무튼 세 놈을
동시에 상대할 수는
없어.

한 번에
세 놈이라니.
끝내주는군.

그 정도도
예측 못하면
어떡하냐?

......,

......,

하나씩
해치울 것을
생각해야지.

놈들의
체력이나
복장을
정확하게
기억하는
거야.

그래...,
우선 서로가
탐지할 수 있는
300미터
지점까지
쫓아가서...

뭐?

하긴…. 그래서?

괜찮아. 이젠 시력도 보통이 아니니까.

거리가 300미터나 되는데, 다른 인간과 헷갈리지 않을까?

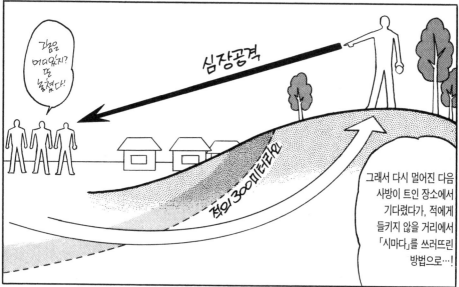

감을 어디앞지? 또 놓쳤다!

심장공격

적외 300미터라고요

그래서 다시 멀어진 다음 사방이 트인 장소에서 기다렸다가, 적에게 들키지 않을 거리에서 「시마다」를 쓰러뜨린 방법으로…!

…아니, 뭘.

갑자기 생각해낸 것치고는 괜찮은데.

그치?

정말…. 조준점만 따악되면 한 마리는 해치울 수 있겠군.

으아~!!

졸려! 4시간은 자야 해.

안 돼, 이 작전은 무효다!

왜에!

아무튼 계속 이동해! 가능한한 빨리 직선거리로! 지금은 그 수밖에 없어.

할 수 없어, 졸음은 갑자기 오는 거라서.

왜 하필 이런 때!

적은 도보로 움직인다..., 아무튼... 달아나라. ...따라잡히...면 그땐... 끝장....

왔다!

오사카까지 가겠네~!

네 시간이나 똑바로 가라고~?!

기차도 아니면서....

...이쪽은 아무 힘도 없는 보통 인간 이라니.

상대는 셋! 모두가 내 위치를 탐지할 수 있는데!

최악의 상황이다!!

헉헉.

지금부터 네 시간 내 체력과 5감을 최대로 발휘해야 살 수 있다.

그래. 전철!

덜컹 덜컹 덜컹

익!
제기랄!

키이잉
타악

열차에
뛰어타거나
뛰어내리면
위험합니다.

지금 2번홈으로
열차가 들어오고
있습니다.

안 돼!
이러다간 같은
차를 타게 되겠어.

덜커덩
덜커덩

아아… 안 돼.
따라잡히겠다!

으으

버스!

됐다!

택시!

이 꼬마가 누굴 놀리나….

일단 출발하세요! 아… 그러니까,

어디로 갈까요?

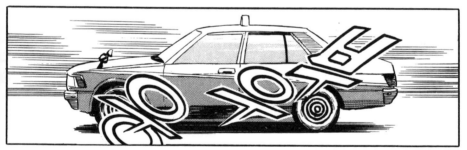

에….

그래서? 어디로 가지?

무슨
소리야…?

저, 어디든
사람들이 없고,
사방이 트인 곳이
없을까요?

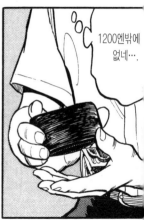

1200엔밖에
없네….

좀 쉬어야지….

후….

고맙습니다.

거스름 돈은 가지쇼.

택시가 또 한 대…? 설마…

그럼 아닌가…?

혼자야?

표정이 풍부해….
기생생물은 대개
무표정한데….

사람도 없고
조용한
것이…

종군,
여긴….

아, 기다려!
이봐!

어?
오른손의 반응이
이상하게
약한걸.

무서운
놈이라고
들었는데?

되게
허겁지겁
달아나
더군.

「거스름돈은 가지쇼」
좋아하네!

젠장할~.
괴물 주제에
건방지게 택시씩이나
타고 쫓아와?

헉헉!
헉헉!

뭐야? 저놈.
이상하게
걸음이 느리네.

어…어라?

「시마다 히데오」만 해도 100미터를 10초대에 주파했고!

기생생물은 육체의 잠재능력을 최대한 끌어낼 수 있을 텐데….

훅.

훅.

그래도 방심할 순 없어! 다른 두 마리도 이 근처에 있을지 몰라….

오른쪽이가 일어날 때까지… 내 몸이 버텨 줄까….

후아~.

헉!

학생 같은데,
이 시간에 이런 데서
뭘 하나?

아…
감사합니다.

어이,
좀 태워 줄까?

멍멍멍!

응?

혹시
이 사람도…?

!

아니… 기생하기엔 크기가 너무 작고….

개…? 기생생물들이 애완동물을 기른다는 말은 못 들었고…. 설마 이 개도 괴물?

아, 아뇨….

왜 그리고 서 있어? 개 싫어하나?

교복 차림으로?

아뇨… 조깅을 좀 하느라고.

설마 가출한 건 아니겠지?

후… 일단 살았다.

예. 정말
고맙습니다.

정말 이런 데
내려줘도 되겠어?

그놈들도 포기한
모양이군.

야… 이제
네 시간
다 됐어.

!

휴...
지나가는
거군.

바아——

앗?!

부웅

어이쿠.

턱

푸하하하…

오… 오른쪽아…

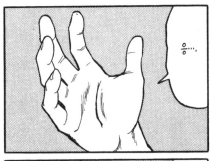

응....

오른쪽아!!

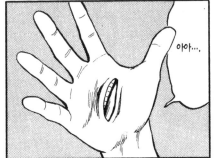

아아....

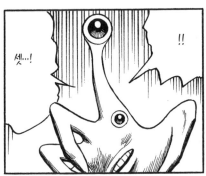

셋...!

!!

어허
허허.

신이치구나.
무사해서
다행이다.

나머지 두 놈은
아직 어디에
있는지
모르겠지만.

그래....

뭐?!

그게 아니야!
저놈의 몸속에
셋이
들어 있어!

…….

「오른쪽」이라….
혹시 오른손에
있다고 오른쪽이냐?

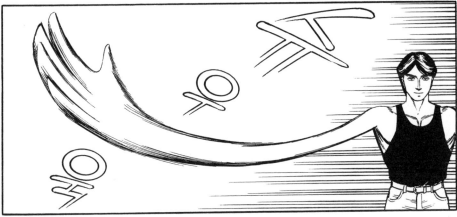

제39화 ―끝―

제40화 　　사령탑

그래서 지금까지
딴 「동족」들이 쉽게
당했겠지.

……

인간의 뇌가
살아남아 있는데
도리어 강해졌다는 게
이해가 안 되는군.

와
하
하
하
하
하
!

「식당」에 있던
시체로 미루어 보면
승부는 한순간에
나지도 않은 것
같고…

지금은 웃을 상황이 아닌가?

어…

오… 오른쪽아… 뭐야? 이놈….

네 전법 좀 가르쳐 주지 않겠어?

그래… 지금껏 어떻게 해왔지?

방심하지 마. 저러면서 우릴 탐색하는 거다.

말도 많은데다 징그럽기도 하고….

아무리 표정이 풍부하고 말이 많아도 인간의 그것과는 전혀 다르다는 걸 잊으면 안 돼!

천천히 머리를
굴린 다음에
움직일 생각이지?

하긴 조심해서
손해볼 거 없으니,

!!

하루종일
우두커니
서있어 봤자
소용 없으니,

지금껏ㅡ!

뭐, 뭐가
슬슬이야!

슬슬
공격을
시작해
볼까나.

슬슬이
슬슬이지, 뭐.
와하하하하하.

잉?
슬슬이…

대꾸하지 마,
신이치!

퍽

퍽

슈
욱

커
걱

어이,
잠깐만!

헉! 헉!

으악!

으윽···.

······.

너는 엄청난
운동신경과
좋은 시력을 가졌어.

역시
그렇군.

이렇게 됐으니
시체를 원형 그대로
가져가기는
좀 힘들게 생겼군.

그럼 이쪽도
적의 칼날 수에
맞춰 가지를 치면
되는 거 아냐?

칼날이
너무 많다.

어려운걸.
공격이 빗발 같아.

아니... 그리
단순한 문제가
아니야.

적의 공격을 튕겨내면서
빈틈을 파고들어
베려면 최소한 이 정도라는
칼날의 사이즈와
숫자가 있거든.

그럼 효과가 있어?

헤ㅡ. 그렇게 의논하면서 싸우는구나아.

즉, 아무리 생각해 봐도 우리가 불리하다구.

젠장~.

익!

타닷

음….

꼴좋다!
저놈, 달리기
실력만은
형편없어!

허 허

허헉!
후아.

허헉 허헉!

지구력은
그렇지
않을 텐데.

어이, 신이치.
확실히 스띠드는
네가 위지만...

제엔장~.
피곤이
따따블이네.

나도 짧은
시간이지만
그렇게 격렬한
싸움을 하면 지쳐.

그렇잖아도
하루종일
뛰어다녀서
피곤해 죽겠는데.

...그건 그래.

한 몸에 세 마리라…!

새로운 타입의 적….

그래도 일단은 떼어 놨으니까….

그 왜… 지난번 싸울 때 말했지? 인간 부분이 약점이라고.

다리?

다리야, 다리.

왜… 안되겠어?

으음.

어떻게든 저 엄청난 공격발을 뚫고 다리를 끊어 버리면….

음…, 확실히 내가 보기에도 그렇지만… 어떨지.

왜? 세 마리라며? 그럼 「머리」랑 「양팔」뿐이겠네.

좀 걸리는데…. 그놈의 「기생」 부분의 범위가 잘 파악되지 않아.

지겹다, 이젠…. 제길….

이런, 벌써 쫓아왔군.

허억. 허억!

아…. 드디어 오는군.

저건 안 돼.

돌아갈 걸 생각해서 멀리 안 가고 내린 게 실수였어.

차 같은 거 안 지나가나….

으아!

으

화

또?

또 넘어
졌어.

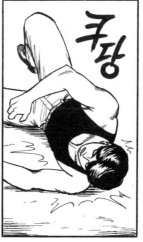

쿠당

찍

어이쿠.

원형이고
나발이고
신경 안쓸래.

정말 잘도
달아나는군.
이젠
짜증난다.

할 수 없다, 신이치!
이판사판이야.
네 말대로
다리를 노려보자.

말도 안 돼!!

오른쪽에서 오는 공격은
내가 막겠지만...,
너는 왼쪽의 공격을
가능하면 피하지 말고
맨손으로 흘려보내 줘.

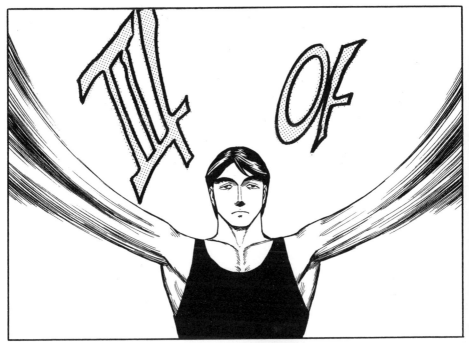

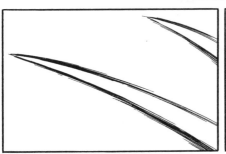

우아아.

이겼다!

하하하하.

?!

얼라리여?

...공중 충돌이다.

뭐야? 방금 어떻게 된 거야?!

게다가 자기 촉수끼리...

정체?

띨띨하기는.

제엔장~

뭐…?

그래…, 이제야 정체를 알 것 같군.

우선 「기생생물」은 「머리」와 「양팔」 외에도 퍼져 있어.

그럼 나도 좋겠다.

그래..., 처음에는 좀 놀랐지만... 뜻밖에 겉모양 뿐일지 몰라.

하지만 어찌됐건 머리가 「사령탑」인 것만은 틀림없을 거다. 두 팔의 움직임에는 독자적인 감정이 느껴지지 않는 것을 보면.

설마!

아까 내가 자른 「다리」는 인간의 것이 아니었어.

으힉!

몇 번이든 도망갈 테다!

왔다!

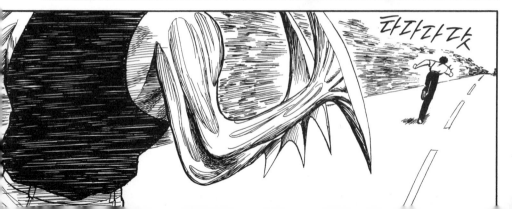

타다다닷

무엇보다 기생부분이
틀림없을 「머리」는
변형하거나 공격에
참가하지 않고 있어!

아...
그건, 그래.

더욱이 그리 뛰어난
「사령탑」으로는 보이지 않아.
몸 전체의 움직임에
통일성이 부족하기 때문에
넘어지기도 하고
자기떼끼리 부딪히기도
하는 거지.

다를 게 없어.
결국 적은
하나다.

즉, 「양팔」 등 다른
「기생부분」을
통솔하는 것만으로도
벅차다는 뜻이지.
그 머리가 제구실을
못하게 되면 대혼란을
일으킬 거야.

끝내주는 조건이
하나 있는데
안 들어 볼래?

잠깐만 서 봐!
할 말이 있다구.

머리를 끊어 버리는 게 최선이다!

공격목표는 다리나 동체보다 「머리」!

뭐시!

뭐야? 뜬금없이 무슨 소릴…

내가 신호하면 저놈을 향해 일직선으로 달려가! 전속력으로!

할 수 있어!

하지만 어떻게…?

나를 믿어!

뭐…?

후… 겨우 따라잡았네.

위험하니까 가만 있어!

나무를 방패삼아 좌우로….

상하로 놈의 공격을 띠하면서 일정 거리를 둘 것.

다가가지도, 멀어지지도 말고…. 즉, 저놈이 보기에는 「선」을 그리면서….

아, 독사다!

어이, 그쪽은 낭떠러지야!

무시!

「선」의 움직임으로
적의 공격을 피하다 보면
적도 이쪽의 움직임에
익숙해져서
공격폭은 좌우로 떠지며
「선」의 진행방향을
앞서 나가게 된다.

지금이다!

그때 갑자기,

같은 패턴의 움직임에 익숙해진 적은 얼른 조준을 못하고 당황하겠지...,

!

패턴을 바꿔 적을 향해 일직선으로!

평행이 수직으로,

세로가 가로로....

그놈으로서는 지금까지 달아나기만 하던 「선」이 갑자기 돌진해 오는 「점」으로 변한 거니까.

어?

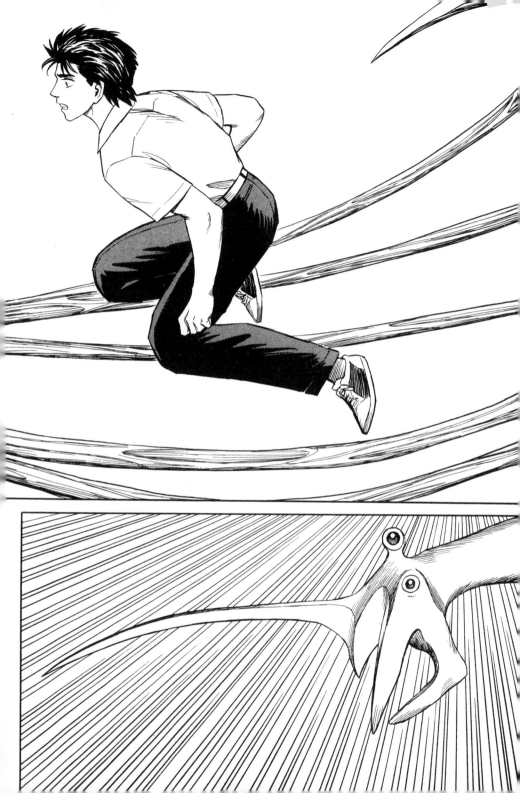

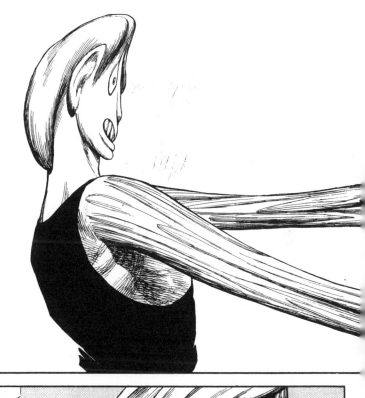

해치웠다!

제40화 ―끝―

...엄청난
피다....

머리!
머리는
어디 있지?!

아.

응?

아….

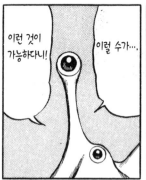

이런 것이
가능하다니!

이럴 수가….

어?!

뭐야?
「아」라니.

선수
교체다‥‥.

너는 역시
오른손에 있는 게
분수에
맞는 것 같다.
미기.

상대도
안 되는군.

하하,
면목없군.

저쪽은
'오른쪽이'라더라.
다들 이름 짓는 건
주먹구구식이라니까.

이름 같은 건
됐으니까
잠이나 자라.

뭐?

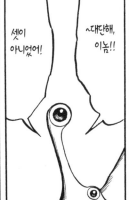

셋이
아니었어!

~대단해,
이놈!!

......

순식간에
전신을 장악했어!
저건 한 개체의
생물이야!

봐! 신이치,
저놈은 지금
완전한 하나다!

좀전에 그놈이
「머리」였을 때,
셋으로 느껴졌던 것은
머리와 양팔이었기
때문이 아니야.
하나로 통일되지
않았던 것뿐이지!

다섯…

게다가 그렇게 되기 직전에
몇 초간 의식이
다섯으로 분열했다!
즉, 저 몸에는 모두
다섯 마리가
들어있는 거야!

x

사실 최근의 일이야.

하지만 이렇게까지 할 수 있게 된 것도

그래, 맞아. 「통솔자」가 될 수 있는 것은 나와 미기뿐. 완전히 하나로 통합할 수 있는 것은 나뿐이지.

쓱…

자는 사이에 꽤 멀리까지 와 버렸군.

그나저나 여긴 어디지?

오른쪽아…

그래… 감탄하고 있을 때가 아니지.

기 기 기 기

전에도 한 번 만난 적이 있지….

너하고는…

너는!

프아!

으아

으아

그놈의
구두?!

아야!

딱

위에서....

우왓!!

핵

콰

직

원숭이도 저렇게는
못 움직인다!
숲속이라는 게
불리해져 버렸어!

호음...
인간치고는
제법 빠른데?

큰길이다!
이제 정말 차를
잡아타야 해!

헉헉헉.

이봐요오ㅡ!

뿌ㅡ웅

어, 트럭이다.

성가신 건 질색인데.

뭐야, 저건! 피투성이 아냐!

어라.

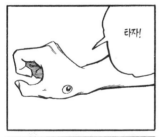

타자!

뭐?

제길!

아.

삥!

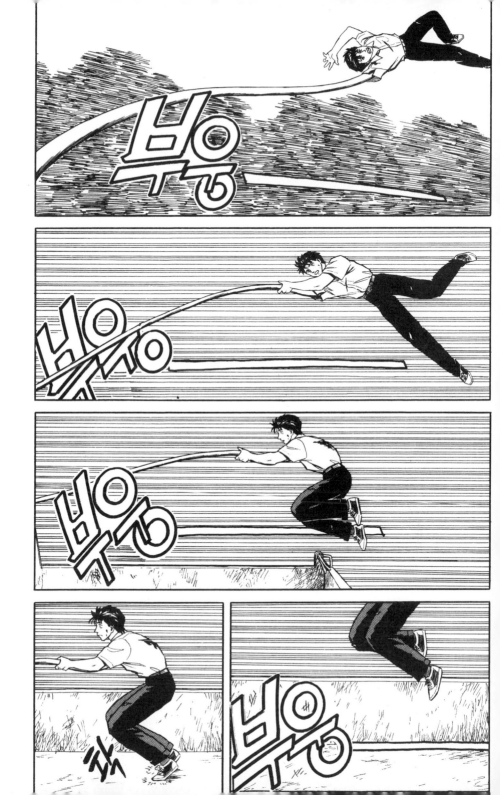

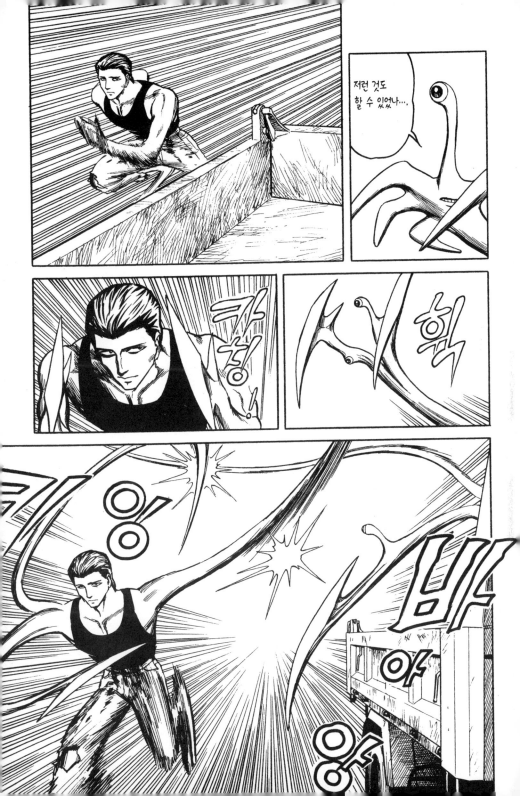

되게
시끄럽네.
이게 뭔
소리람?

시속 60km…
세상에
이럴 수가….

……

나
왔다!

귀신이야!

혹시 아까
그 피투성이
남자도…?

분명히
이 근처에서…
교통사고로
사람이
죽었는데…
그 귀신이
나온 거야!

칵 칵
욱

트럭은
부수지
마….

그만 좀
해….

흐이~!!

?!

오른쪽아…

빠아

으아으아.
으아으아.

스으

헉.

......,

그럴 리 없어….
저건 사람이 아냐!
사람일 리 없어.

첨벙

난 몰라!
난 상관없다구!

어어—이!

어,
이봐!

딱

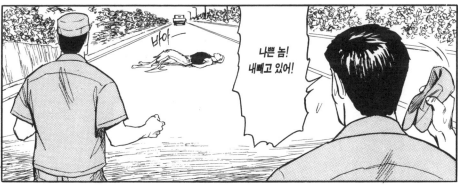

바아—

나쁜 놈!
내빼고 있어!

하지만 양쪽을 합쳐 시속 200km 가까운 속도였어. 타격이 크겠지.

안 움직이는데? 죽었나?

아니...

으~.

어이, 당신 괜찮아요?

깜짝

삘끈

일단 식사를 하고 좀 쉬어야 움직일 수 있겠어.

피가...?

역시 아까의 출혈 때문에 피가 모자라는군.

몸이 나른한데 ....

아니? 당신, 그 팔은... 다리도!

하... 하하하하. 그 정도라면야 뭐... 안 그래?

그렇다고 왔던 길로 되돌아갈 수도 없고.

돈은 없지, 배는 고프지….

후—…. 겨우 사람 사는 동네에 오긴 했지만….

훌륭해….

그나저나… 그런 엄청난 놈이 있었다니….

으아…. 꼴이 말씀이 아닌데.

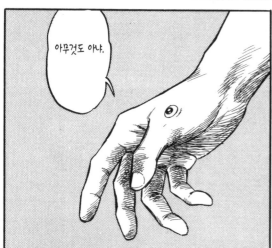

아무것도 아냐.

뭐?

제 6 권에 계속

기생수 5
Kodansha Afternoon KCDX

—기생된 인간의 얼굴 변형 패턴 중에는 나선형으로 갈라져 칼날처럼 변하는 패턴과, 입을 벌린 공 모양으로 변하는 패턴의 두 가지가 있던데?

이와아키:나선형 패턴은 공격적인, 다급할 때 변하는 패턴이고, 좀더 시간적인 여유가 있으면 죽인 인간을 먹을 경우는 구형으로 변합니다. 급할 때는 간편하게 칼날 형태로 변하는 게 좋고, 머리는 구형이니까, 가장 빨리 칼날로 변하기 위해서 그런 나선형 패턴이 되는 것입니다.

Interview

—최근 스토리에서는 기생생물들도 각자 사고방식이 다르거나 집단을 이루기 시작한다는 장면이 나오는데요?

이와아키:점점 성장한다, 즉 정신적으로도 성숙한다는 설정입니다. 단독으로 활동하면 너무 눈에 띄니까요. 기본적으로는 이기적인 존재지만 인간사회에서 살기 위해, 인간과는 약간 다르지만 조직을 만들어 갑니다. '기생생물'은 사실 인간을 닮았다고 생각합니다. 사회적인 동물이라고나 할까요? 그러니까 필연적으로 그런 전개가 된 거지만.

*다음 페이지에 계속

기생수 5
Kodansha Afternoon KCDX

—이 「기생수」에서는 '고등학교'라는 무대가 중요한 의미를 차지하는 것처럼 보이는데요?

이와아키:이것도 착상을 떠올렸을 때 생각한 겁니다. 오른쪽이가 주인공의 여자 친구 앞에서 마음대로 남성의 거대한 생식기 모양으로 변해, 주인공이 아주 난처해진다는 장면을 떠올렸을 때였는데, 가장 그에 어울리는 연령은 역시 고교생일 거라는 생각에서 정했습니다.

Interview

—그러면 마지막으로, 앞으로 도전하고 싶은 작품은?

이와아키:특별히 이거다, 싶은 것은 없지만, 처음부터 끝까지 지루하지 않게 하는 것이 기본입니다. 구상이 없지는 않지만 일단 들어가기 전에는 모르죠. 아직 머리가 거기까지는 돌아가지 않고 있습니다.

(애프터눈 '93년 8월호에서)